만점왕 알파북
계산편

6-1

본 알파북은 **수학 학습내용 이해**에
도움이 될 만한 **계산력 문제**로 구성하였습니다.
이번 학기 교과서 구성과도 꼭 맞는
만점왕 알파북 계산편으로
수학 실력의 밑바탕을 다져 보세요!

차례 6-1

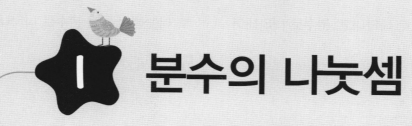

1 분수의 나눗셈

❋ 나눗셈의 몫을 그림으로 나타내고, 분수로 나타내어 보세요.

1

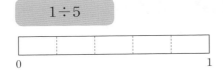

$1 \div 5$

$$1 \div 5 = \frac{\square}{\square}$$

2

$1 \div 6$

$$1 \div 6 = \frac{\square}{\square}$$

3

$3 \div 8$

$$3 \div 8 = \frac{\square}{\square}$$

4

$2 \div 5$

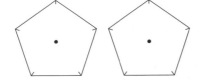

$$2 \div 5 = \frac{\square}{\square}$$

❋ 나눗셈의 몫을 분수로 나타내어 보세요.

5 $1 \div 4$

6 $2 \div 3$

7 $5 \div 6$

8 $2 \div 7$

9 $4 \div 9$

10 $5 \div 12$

11 $8 \div 17$

12 $11 \div 18$

2 (자연수)÷(자연수)의 몫을 분수로 나타내어 보기(2)

✸ 나눗셈의 몫을 그림으로 나타내고, 분수로 나타내어 보세요.

1 $3 \div 2$

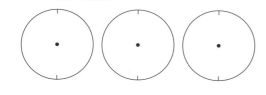

$3 \div 2 =$ ☐

2 $5 \div 4$

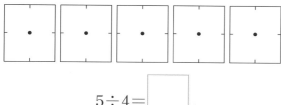

$5 \div 4 =$ ☐

3 $7 \div 3$

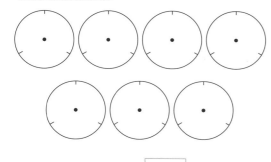

$7 \div 3 =$ ☐

✸ 나눗셈의 몫을 분수로 나타내어 보세요.

4 $5 \div 3$

5 $6 \div 5$

6 $9 \div 7$

7 $11 \div 4$

8 $17 \div 6$

9 $21 \div 8$

10 $28 \div 9$

11 $30 \div 7$

※ ☐ 안에 알맞은 수를 써넣어 계산해 보세요.

1 $\dfrac{4}{5} \div 2 = \dfrac{\boxed{} \div 2}{5} = \dfrac{\boxed{}}{5}$

2 $\dfrac{6}{7} \div 3 = \dfrac{\boxed{} \div 3}{7} = \dfrac{\boxed{}}{7}$

3 $\dfrac{8}{9} \div 4 = \dfrac{\boxed{} \div 4}{9} = \dfrac{\boxed{}}{9}$

4 $\dfrac{9}{10} \div 3 = \dfrac{\boxed{} \div 3}{10} = \dfrac{\boxed{}}{10}$

5 $\dfrac{10}{11} \div 5 = \dfrac{\boxed{} \div 5}{11} = \dfrac{\boxed{}}{11}$

6 $\dfrac{12}{17} \div 6 = \dfrac{\boxed{} \div 6}{17} = \dfrac{\boxed{}}{17}$

7 $\dfrac{3}{4} \div 2 = \dfrac{\boxed{}}{8} \div 2 = \dfrac{\boxed{} \div 2}{8} = \dfrac{\boxed{}}{8}$

8 $\dfrac{4}{5} \div 3 = \dfrac{\boxed{}}{15} \div 3 = \dfrac{\boxed{} \div 3}{15} = \dfrac{\boxed{}}{15}$

9 $\dfrac{5}{7} \div 4 = \dfrac{\boxed{}}{28} \div 4 = \dfrac{\boxed{} \div 4}{28} = \dfrac{\boxed{}}{28}$

10 $\dfrac{7}{9} \div 6 = \dfrac{\boxed{}}{54} \div 6 = \dfrac{\boxed{} \div 6}{54} = \dfrac{\boxed{}}{54}$

11 $\dfrac{5}{8} \div 2 = \dfrac{\boxed{}}{16} \div 2 = \dfrac{\boxed{} \div 2}{16} = \dfrac{\boxed{}}{16}$

12 $\dfrac{7}{12} \div 5 = \dfrac{\boxed{}}{60} \div 5 = \dfrac{\boxed{} \div 5}{60} = \dfrac{\boxed{}}{60}$

(분수)÷(자연수)를 알아보기(2)

✵ 계산하여 기약분수로 나타내어 보세요.

1 $\dfrac{4}{9} \div 2$

2 $\dfrac{6}{13} \div 3$

3 $\dfrac{8}{15} \div 2$

4 $\dfrac{10}{17} \div 2$

5 $\dfrac{14}{19} \div 7$

6 $\dfrac{12}{23} \div 4$

7 $\dfrac{2}{3} \div 7$

8 $\dfrac{3}{5} \div 5$

9 $\dfrac{5}{6} \div 4$

10 $\dfrac{4}{7} \div 3$

11 $\dfrac{5}{8} \div 9$

12 $\dfrac{7}{15} \div 6$

5 (분수)÷(자연수)를 분수의 곱셈으로 나타내어 보기⑴

🌼 관계있는 것끼리 이어 보세요.

1

$\dfrac{5}{7} \div 2$ •

$\dfrac{2}{5} \div 7$ •

$\dfrac{3}{8} \div 4$ •

• $\dfrac{3}{8} \times \dfrac{1}{4}$ •

• $\dfrac{5}{7} \times \dfrac{1}{2}$ •

• $\dfrac{2}{5} \times \dfrac{1}{7}$ •

• $\dfrac{5}{14}$

• $\dfrac{3}{32}$

• $\dfrac{2}{35}$

2

$\dfrac{1}{2} \div 4$ •

$\dfrac{2}{3} \div 9$ •

$\dfrac{2}{9} \div 5$ •

• $\dfrac{1}{2} \times \dfrac{1}{4}$ •

• $\dfrac{2}{9} \times \dfrac{1}{5}$ •

• $\dfrac{2}{3} \times \dfrac{1}{9}$ •

• $\dfrac{2}{27}$

• $\dfrac{1}{8}$

• $\dfrac{2}{45}$

3

$\dfrac{3}{4} \div 4$ •

$\dfrac{6}{7} \div 3$ •

$\dfrac{12}{7} \div 2$ •

• $\dfrac{6}{7} \times \dfrac{1}{3}$ •

• $\dfrac{3}{4} \times \dfrac{1}{4}$ •

• $\dfrac{12}{7} \times \dfrac{1}{2}$ •

• $\dfrac{6}{21}$

• $\dfrac{12}{14}$

• $\dfrac{3}{16}$

🌼 □ 안에 알맞은 수를 써넣으세요.

4 $\dfrac{3}{5} \div 2 = \dfrac{3}{5} \times \dfrac{\square}{\square} = \square$

5 $\dfrac{5}{6} \div 8 = \dfrac{5}{6} \times \dfrac{\square}{\square} = \square$

6 $\dfrac{7}{8} \div 3 = \dfrac{7}{8} \times \dfrac{\square}{\square} = \square$

7 $\dfrac{9}{5} \div 5 = \dfrac{9}{5} \times \dfrac{\square}{\square} = \square$

8 $\dfrac{11}{3} \div 4 = \dfrac{11}{3} \times \dfrac{\square}{\square} = \square$

❋ 계산해 보세요.

1 $\dfrac{2}{3} \div 8$

2 $\dfrac{3}{4} \div 6$

3 $\dfrac{4}{5} \div 7$

4 $\dfrac{5}{6} \div 3$

5 $\dfrac{2}{7} \div 8$

6 $\dfrac{7}{8} \div 8$

7 $\dfrac{2}{9} \div 4$

8 $\dfrac{9}{10} \div 3$

9 $\dfrac{5}{12} \div 4$

10 $\dfrac{3}{14} \div 5$

11 $\dfrac{7}{18} \div 3$

12 $\dfrac{11}{21} \div 4$

7 (분수)÷(자연수)를 분수의 곱셈으로 나타내어 보기(3)

1. 분수의 나눗셈

※ 계산해 보세요.

1 $\dfrac{5}{2} \div 3$

2 $\dfrac{4}{3} \div 2$

3 $\dfrac{9}{5} \div 3$

4 $\dfrac{7}{6} \div 4$

5 $\dfrac{10}{7} \div 5$

6 $\dfrac{11}{8} \div 6$

7 $\dfrac{8}{3} \div 7$

8 $\dfrac{13}{7} \div 5$

9 $\dfrac{12}{5} \div 6$

10 $\dfrac{14}{9} \div 7$

11 $\dfrac{18}{7} \div 6$

12 $\dfrac{25}{11} \div 5$

✸ 보기 와 같이 두 가지 방법으로 계산해 보세요.

보기

방법 1 $1\dfrac{1}{3} \div 2 = \dfrac{4}{3} \div 2 = \dfrac{4 \div 2}{3} = \dfrac{2}{3}$

방법 2 $1\dfrac{1}{3} \div 2 = \dfrac{4}{3} \div 2 = \dfrac{4}{3} \times \dfrac{1}{2} = \dfrac{2}{3}\left(=\dfrac{4}{6}\right)$

1 $1\dfrac{3}{5} \div 2$

방법 1

방법 2

2 $2\dfrac{1}{4} \div 3$

방법 1

방법 2

3 $3\dfrac{3}{5} \div 6$

방법 1

방법 2

4 $4\dfrac{2}{7} \div 5$

방법 1

방법 2

5 $2\dfrac{5}{8} \div 7$

방법 1

방법 2

6 $2\dfrac{2}{9} \div 4$

방법 1

방법 2

7 $4\dfrac{7}{12} \div 5$

방법 1

방법 2

9 (대분수)÷(자연수)를 알아보기(2)

1. 분수의 나눗셈

✳ 계산하여 기약분수로 나타내어 보세요.

1 $3\frac{1}{3} \div 2$

2 $3\frac{3}{4} \div 5$

3 $1\frac{1}{5} \div 4$

4 $5\frac{5}{6} \div 7$

5 $3\frac{4}{7} \div 2$

6 $4\frac{1}{8} \div 3$

7 $3\frac{1}{9} \div 8$

8 $3\frac{3}{10} \div 3$

9 $1\frac{4}{11} \div 4$

10 $2\frac{1}{12} \div 5$

11 $3\frac{3}{14} \div 9$

12 $2\frac{13}{18} \div 7$

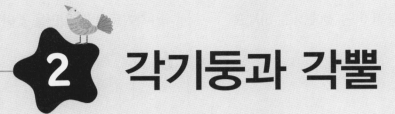

2 각기둥과 각뿔

❋ 각기둥에 ○표, 각기둥이 아닌 것에 ×표 하세요.

❋ 각기둥의 두 밑면을 찾아 색칠해 보세요.

1

(   )

2

(   )

3

(   )

4

(   )

5

(   )

6

7

8
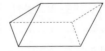

9
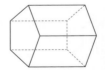

🌸 각기둥의 밑면과 옆면을 모두 찾아 써 보세요.

1

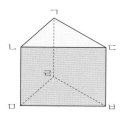

밑면	
옆면	

2

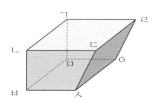

밑면	
옆면	

3

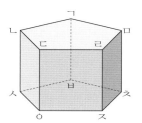

밑면	
옆면	

🌸 각기둥의 겨냥도를 완성해 보세요.

4

5

6

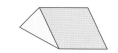

7

🌸 각기둥을 보고 표를 완성해 보세요.

1

밑면의 모양	
옆면의 모양	
각기둥의 이름	

2

밑면의 모양	
옆면의 모양	
각기둥의 이름	

3

밑면의 모양	
옆면의 모양	
각기둥의 이름	

4

밑면의 모양	
옆면의 모양	
각기둥의 이름	

🌸 각기둥을 보고 빈칸에 알맞은 수를 써넣으세요.

5

한 밑면의 변의 수(개)	
꼭짓점의 수(개)	
면의 수(개)	
모서리의 수(개)	

6

한 밑면의 변의 수(개)	
꼭짓점의 수(개)	
면의 수(개)	
모서리의 수(개)	

7

한 밑면의 변의 수(개)	
꼭짓점의 수(개)	
면의 수(개)	
모서리의 수(개)	

8

한 밑면의 변의 수(개)	
꼭짓점의 수(개)	
면의 수(개)	
모서리의 수(개)	

❋ 전개도를 접으면 어떤 도형이 되는지 써 보세요.

1

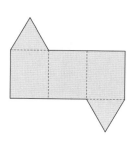

(   )

2

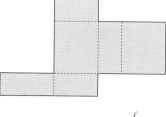

(   )

3

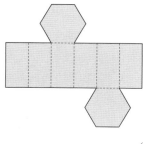

(   )

4

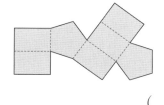

(   )

❋ 전개도를 접어서 각기둥을 만들었습니다. ☐ 안에 알맞은 수를 써넣으세요.

5

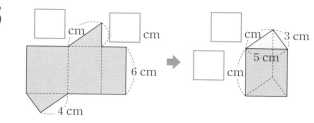

6

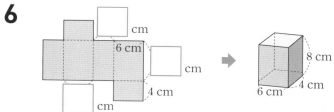

7

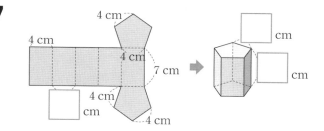

8

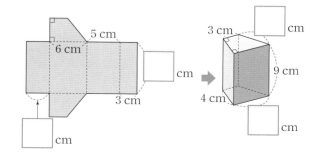

✹ 각기둥의 전개도를 그려 보세요.

1

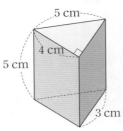

5 cm
4 cm
5 cm
3 cm

1 cm
1 cm

2

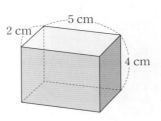

5 cm
2 cm
4 cm

1 cm
1 cm

3

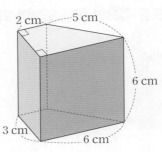

2 cm 5 cm
6 cm
3 cm
6 cm

1 cm
1 cm

4

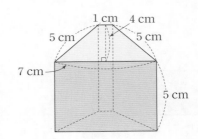

1 cm 4 cm
5 cm 5 cm
7 cm
5 cm

1 cm
1 cm

🌸 각뿔에 ○표, 각뿔이 아닌 것에 ×표 하세요.

1

(   )

2

(   )

3

(   )

4

(   )

5

(   )

🌸 각뿔의 밑면과 옆면을 모두 찾아 써 보세요.

6
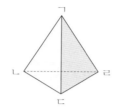

밑면	
옆면	면 ㄱㄴㄷ,

7
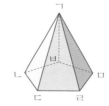

밑면	
옆면	

8
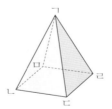

밑면	
옆면	

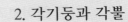

🌸 각뿔을 보고 표를 완성해 보세요.

1

밑면의 모양	
옆면의 모양	
각뿔의 이름	

2

밑면의 모양	
옆면의 모양	
각뿔의 이름	

3

밑면의 모양	
옆면의 모양	
각뿔의 이름	

4

밑면의 모양	
옆면의 모양	
각뿔의 이름	

🌸 각뿔을 보고 빈칸에 알맞은 수를 써넣으세요.

5

밑면의 변의 수(개)	
꼭짓점의 수(개)	
면의 수(개)	
모서리의 수(개)	

6

밑면의 변의 수(개)	
꼭짓점의 수(개)	
면의 수(개)	
모서리의 수(개)	

7

밑면의 변의 수(개)	
꼭짓점의 수(개)	
면의 수(개)	
모서리의 수(개)	

8

밑면의 변의 수(개)	
꼭짓점의 수(개)	
면의 수(개)	
모서리의 수(개)	

3 소수의 나눗셈

❋ □ 안에 알맞은 수를 써넣으세요.

1

$248 \div 2 =$ □

$\frac{1}{10}$ 배

$\frac{1}{100}$ 배

□ 배

$24.8 \div 2 =$ □

□ 배

$2.48 \div 2 =$ □

2

$396 \div 3 =$ □

$\frac{1}{10}$ 배

$\frac{1}{100}$ 배

□ 배

$39.6 \div 3 =$ □

□ 배

$3.96 \div 3 =$ □

3

$848 \div 4 =$ □

$\frac{1}{10}$ 배

$\frac{1}{100}$ 배

□ 배

$84.8 \div 4 =$ □

□ 배

$8.48 \div 4 =$ □

❋ 자연수의 나눗셈을 이용하여 소수의 나눗셈을 해 보세요.

4

$224 \div 2 = 112$

$22.4 \div 2 =$ □

$2.24 \div 2 =$ □

5

$366 \div 3 = 122$

$36.6 \div 3 =$ □

$3.66 \div 3 =$ □

6

$682 \div 2 =$ □

$68.2 \div 2 =$ □

$6.82 \div 2 =$ □

7

$884 \div 4 =$ □

$88.4 \div 4 =$ □

$8.84 \div 4 =$ □

8

$996 \div 3 =$ □

$99.6 \div 3 =$ □

$9.96 \div 3 =$ □

2 (소수)÷(자연수)를 알아보기(2)

◉ 보기 와 같은 방법으로 계산해 보세요.

보기

$$7.56 \div 2 = \frac{756}{100} \div 2 = \frac{756 \div 2}{100} = \frac{378}{100} = 3.78$$

1 $33.72 \div 4$

2 $23.15 \div 5$

3 $7.65 \div 3$

4 $81.12 \div 6$

5 $90.23 \div 7$

◉ 계산해 보세요.

6 $6 \overline{)2\ 3.0\ 4}$

7 $8 \overline{)7\ 4.6\ 4}$

8 $9 \overline{)2\ 2.6\ 8}$

9 $2 \overline{)3\ 7.9\ 2}$

10 $3 \overline{)4\ 3.1\ 4}$

❋ 보기 와 같은 방법으로 계산해 보세요.

보기

$$2.55 \div 3 = \frac{255}{100} \div 3 = \frac{255 \div 3}{100} = \frac{85}{100} = 0.85$$

1 $0.75 \div 5$

2 $2.38 \div 7$

3 $1.12 \div 4$

4 $4.72 \div 8$

5 $2.88 \div 9$

❋ 계산해 보세요.

6
$$5 \overline{)1.4\ 5}$$

7
$$6 \overline{)0.9\ 6}$$

8
$$8 \overline{)6.1\ 6}$$

9
$$7 \overline{)2.0\ 3}$$

10
$$9 \overline{)5.6\ 7}$$

4 (소수)÷(자연수)를 알아보기⑷

✹ 보기 와 같은 방법으로 계산해 보세요.

보기

$$3.8 \div 4 = \frac{380}{100} \div 4 = \frac{380 \div 4}{100} = \frac{95}{100} = 0.95$$

1 $1.4 \div 4$

2 $5.2 \div 8$

3 $6.8 \div 5$

4 $9.4 \div 4$

5 $6.76 \div 8$

✹ 계산해 보세요.

6 $2 \overline{)0.9}$

7 $5 \overline{)6.8}$

8 $4 \overline{)8.6}$

9 $6 \overline{)5.7}$

10 $8 \overline{)9.08}$

❋ 소수의 나눗셈을 분수의 나눗셈으로 바꾸어 계산해 보세요.

1 $9.18 \div 9$

2 $6.21 \div 3$

3 $8.24 \div 4$

4 $7.56 \div 7$

5 $8.1 \div 2$

6 $5.4 \div 5$

❋ 자연수의 나눗셈을 이용하여 소수의 나눗셈을 해 보세요.

7 $318 \div 3 = 106$ ➡ $3.18 \div 3 =$ ☐

8 $728 \div 7 = 104$ ➡ $7.28 \div 7 =$ ☐

9 $816 \div 4 = 204$ ➡ $8.16 \div 4 =$ ☐

10 $420 \div 4 = 105$ ➡ $4.2 \div 4 =$ ☐

11 $510 \div 5 = 102$ ➡ $5.1 \div 5 =$ ☐

12 $630 \div 6 = 105$ ➡ $6.3 \div 6 =$ ☐

❋ 계산이 <u>잘못된</u> 곳을 찾아 바르게 계산해 보세요.

❋ 계산해 보세요.

1

```
      1.5
  3)3.1 5
    3
    ─────
    1 5
    1 5
    ─────
        0
```
→
```
  3)3.1 5
```

2

```
      1.3
  9)9.2 7
    9
    ─────
    2 7
    2 7
    ─────
        0
```
→
```
  9)9.2 7
```

3

```
      1.6
  7)7.4 2
    7
    ─────
    4 2
    4 2
    ─────
        0
```
→
```
  7)7.4 2
```

4

```
      2.5
  4)8.2
    8
    ─────
    2 0
    2 0
    ─────
        0
```
→
```
  4)8.2
```

5

```
  6)6.4 8
```

6

```
  4)4.2 4
```

7

```
  2)4.1 8
```

8

```
  3)9.2 7
```

9

```
  8)8.4
```

❋ 보기 와 같은 방법으로 몫을 구해 보세요.

보기
$$7 \div 4 = \frac{7}{4} = \frac{175}{100} = 1.75$$

1　$3 \div 2$

2　$7 \div 5$

3　$9 \div 4$

4　$3 \div 4$

5　$12 \div 5$

❋ □ 안에 알맞은 소수를 써넣으세요.

6　$30 \div 5 = 6 \Rightarrow 3 \div 5 = \boxed{}$

7　$70 \div 2 = 35 \Rightarrow 7 \div 2 = \boxed{}$

8　$600 \div 8 = 75 \Rightarrow 6 \div 8 = \boxed{}$

9　$10 \div 5 = 2 \Rightarrow 1 \div 5 = \boxed{}$

10　$500 \div 4 = 125 \Rightarrow 5 \div 4 = \boxed{}$

11　$200 \div 8 = 25 \Rightarrow 2 \div 8 = \boxed{}$

✺ 계산해 보세요.

1

$5\overline{)2\ 3}$

2

$4\overline{)3\ 5}$

3

$25\overline{)6}$

4

$15\overline{)9}$

5

$5\overline{)1\ 7}$

✺ 빈칸에 알맞은 소수를 써넣으세요.

6 ÷ →

÷

9	4	
5	25	

7 ÷ →

÷

12	8	
25	20	

8 ÷ →

÷

42	15	
24	25	

9 ÷ →

÷

45	18	
36	8	

❋ 보기 와 같이 소수를 반올림하여 일의 자리까지 나타내어 어림한 식으로 표현해 보세요.

보기

$$2.24 \div 2 \Rightarrow 2 \div 2$$

1 $3.15 \div 3 \Rightarrow$

2 $4.36 \div 4 \Rightarrow$

3 $5.88 \div 4 \Rightarrow$

4 $21.4 \div 5 \Rightarrow$

5 $8.7 \div 3 \Rightarrow$

6 $12.9 \div 6 \Rightarrow$

❋ 어림셈하여 몫의 소수점 위치를 찾아 표시해 보세요.

7 $26.25 \div 3$

어림 ☐ ÷ ☐ ➡ 약 ☐

몫 8☐7☐5

8 $46 \div 4$

어림 ☐ ÷ ☐ ➡ 약 ☐

몫 1☐1☐5

9 $28.08 \div 6$

어림 ☐ ÷ ☐ ➡ 약 ☐

몫 4☐6☐8

10 $31.3 \div 5$

어림 ☐ ÷ ☐ ➡ 약 ☐

몫 6☐2☐6

❋ 어림셈하여 몫의 소수점 위치가 올바른 식을 찾아 ○표 하세요.

1

$16.23 \div 3 = 541$

$16.23 \div 3 = 54.1$

$16.23 \div 3 = 5.41$

$16.23 \div 3 = 0.541$

2

$27.48 \div 4 = 687$

$27.48 \div 4 = 68.7$

$27.48 \div 4 = 6.87$

$27.48 \div 4 = 0.687$

3

$15.8 \div 5 = 316$

$15.8 \div 5 = 31.6$

$15.8 \div 5 = 3.16$

$15.8 \div 5 = 0.316$

4

$5.34 \div 6 = 890$

$5.34 \div 6 = 89$

$5.34 \div 6 = 8.9$

$5.34 \div 6 = 0.89$

5

$10.08 \div 9 = 112$

$10.08 \div 9 = 11.2$

$10.08 \div 9 = 1.12$

$10.08 \div 9 = 0.112$

6

$43.6 \div 4 = 109$

$43.6 \div 4 = 10.9$

$43.6 \div 4 = 1.09$

$43.6 \div 4 = 0.109$

7

$50.05 \div 7 = 715$

$50.05 \div 7 = 71.5$

$50.05 \div 7 = 7.15$

$50.05 \div 7 = 0.715$

8

$65.7 \div 3 = 219$

$65.7 \div 3 = 21.9$

$65.7 \div 3 = 2.19$

$65.7 \div 3 = 0.219$

4 비와 비율

1 사과가 6개, 바나나가 2개 있습니다. 사과 수와 바나나 수를 비교해 보세요.

뺄셈으로 비교하기	나눗셈으로 비교하기

2 냉장고에 딸기 우유 10개와 초콜릿 우유 5개가 들어 있습니다. 딸기 우유 수와 초콜릿 우유 수를 비교해 보세요.

뺄셈으로 비교하기	나눗셈으로 비교하기

3 아린이네 반 남학생은 12명, 여학생은 15명입니다. 남학생 수와 여학생 수를 뺄셈과 나눗셈으로 비교해 보세요.

뺄셈으로 비교하기	나눗셈으로 비교하기

4 야구공이 24개, 탁구공이 8개 있습니다. 야구공 수와 탁구공 수를 비교해 보세요.

뺄셈으로 비교하기	나눗셈으로 비교하기

5 한 봉지에 빨간색 구슬이 6개, 파란색 구슬이 2개씩 들어 있습니다. 물음에 답하세요.

(1) 봉지 수에 따른 빨간색 구슬 수와 파란색 구슬 수를 구해 표를 완성해 보세요.

봉지 수	1	2	3	4	5
빨간색 구슬 수(개)	6	12	18	24	30
파란색 구슬 수(개)	2	4			

(2) 봉지 수에 따른 빨간색 구슬 수와 파란색 구슬 수를 비교해 보세요.

뺄셈으로 비교하기	나눗셈으로 비교하기

6 한 모둠에 색종이를 10장씩 나누어 주려고 합니다. 한 모둠이 5명일 때 물음에 답하세요.

(1) 모둠 수에 따른 모둠원 수와 색종이 수를 구해 표를 완성해 보세요.

모둠 수	1	2	3	4	5
모둠원 수(명)	5	10	15	20	25
색종이 수(장)	10				

(2) 모둠 수에 따른 모둠원 수와 색종이 수를 비교해 보세요.

뺄셈으로 비교하기	나눗셈으로 비교하기

✹ 그림을 보고 ☐ 안에 알맞은 수를 써넣으세요.

1

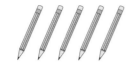

(1) 연필 수와 지우개 수의 비

➡ ☐ : ☐

(2) 연필 수의 지우개 수에 대한 비

➡ ☐ : ☐

(3) 지우개 수에 대한 연필 수의 비

➡ ☐ : ☐

3

(1) 야구방망이 수와 야구공 수의 비

➡ ☐ : ☐

(2) 야구방망이 수의 야구공 수에 대한 비

➡ ☐ : ☐

(3) 야구방망이 수에 대한 야구공 수의 비

➡ ☐ : ☐

2

(1) 사과 수와 딸기 수의 비

➡ ☐ : ☐

(2) 사과 수의 딸기 수에 대한 비

➡ ☐ : ☐

(3) 딸기 수에 대한 사과 수의 비

➡ ☐ : ☐

4

(1) 해바라기 수와 장미 수의 비

➡ ☐ : ☐

(2) 해바라기 수의 장미 수에 대한 비

➡ ☐ : ☐

(3) 해바라기 수에 대한 장미 수의 비

➡ ☐ : ☐

❋ 전체에 대한 색칠한 부분의 비를 써 보세요.

1
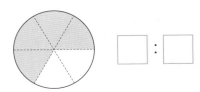
☐ : ☐

2
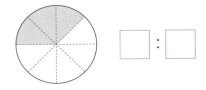
☐ : ☐

3
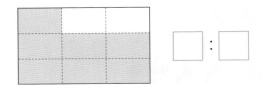
☐ : ☐

4
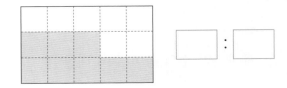
☐ : ☐

5

☐ : ☐

❋ ☐ 안에 알맞은 수를 써넣으세요.

6
| 7 대 12 |

➡ ☐ : ☐

7
| 3과 11의 비 |

➡ ☐ : ☐

8
| 5에 대한 4의 비 |

➡ ☐ : ☐

9
| 15의 27에 대한 비 |

➡ ☐ : ☐

10
| 17에 대한 11의 비 |

➡ ☐ : ☐

❋ 비교하는 양과 기준량을 찾아 써 보세요.

1

2 : 7

비교하는 양 (　　　　　　)
기준량 (　　　　　　)

2

6과 13의 비

비교하는 양 (　　　　　　)
기준량 (　　　　　　)

3

4의 9에 대한 비

비교하는 양 (　　　　　　)
기준량 (　　　　　　)

4

8에 대한 12의 비

비교하는 양 (　　　　　　)
기준량 (　　　　　　)

5

12 : 23

비교하는 양 (　　　　　　)
기준량 (　　　　　　)

6

14와 15의 비

비교하는 양 (　　　　　　)
기준량 (　　　　　　)

7

5의 19에 대한 비

비교하는 양 (　　　　　　)
기준량 (　　　　　　)

8

7에 대한 16의 비

비교하는 양 (　　　　　　)
기준량 (　　　　　　)

9

20과 27의 비

비교하는 양 (　　　　　　)
기준량 (　　　　　　)

10

16의 31에 대한 비

비교하는 양 (　　　　　　)
기준량 (　　　　　　)

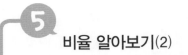

✿ 비율을 분수와 소수로 써 보세요.

1

| 8 : 25 |

분수 (   )

소수 (   )

2

| 3과 4의 비 |

분수 (   )

소수 (   )

3

| 9 대 15 |

분수 (   )

소수 (   )

4

| 20에 대한 9의 비 |

분수 (   )

소수 (   )

5

| 2의 8에 대한 비 |

분수 (   )

소수 (   )

6

| 3 : 12 |

분수 (   )

소수 (   )

7

| 4 대 10 |

분수 (   )

소수 (   )

8

| 12와 16의 비 |

분수 (   )

소수 (   )

9

| 20에 대한 13의 비 |

분수 (   )

소수 (   )

10

| 15의 25에 대한 비 |

분수 (   )

소수 (   )

1 민호는 200 m를 달리는 데 40초가 걸렸습니다. 민호가 200 m를 달리는 데 걸린 시간에 대한 달린 거리의 비율을 구해 보세요.

(   )

2 어느 자동차가 120 km를 가는 데 2시간이 걸렸습니다. 이 자동차가 120 km를 가는 데 걸린 시간에 대한 달린 거리의 비율을 구해 보세요.

(   )

3 ㉮ 버스는 150 km를 가는 데 2시간이 걸렸고, ㉯ 버스는 210 km를 가는 데 3시간이 걸렸습니다. 두 버스의 걸린 시간에 대한 달린 거리의 비율을 각각 구하고, 어느 버스가 더 빠른지 알아보세요.

㉮ 버스 (   )

㉯ 버스 (   )

더 빠른 버스 (   )

4 두 마을의 넓이에 대한 인구의 비율을 각각 구해 보세요.

마을	사랑 마을	우정 마을
인구(명)	3800	4200
넓이(km^2)	5	7
넓이에 대한 인구의 비율		

5 두 마을의 넓이에 대한 인구의 비율을 각각 구하고, 두 마을 중 인구가 더 밀집한 곳을 알아보세요.

마을	㉮ 마을	㉯ 마을
인구(명)	3600	4000
넓이(km^2)	6	8
넓이에 대한 인구의 비율		

인구가 더 밀집한 곳 (   )

6 파란색 물감 150 mL와 노란색 물감 90 mL를 섞어 초록색을 만들었습니다. 파란색 물감 양에 대한 노란색 물감 양의 비율을 구해 보세요.

분수 (   )

소수 (   )

7 민준이는 물에 딸기 원액 20 mL를 넣어 딸기주스 80 mL를 만들었고, 세인이는 물에 딸기 원액 120 mL를 넣어 딸기주스 300 mL를 만들었습니다. 두 사람의 딸기주스 양에 대한 딸기 원액 양의 비율을 각각 구하고, 누가 만든 딸기주스가 더 진한지 알아보세요.

민준 (   )

세인 (   )

더 진한 딸기주스를 만든 사람 (   )

❋ 비율을 백분율로 나타내어 보세요.

1   0.81   ➡ (   )

2 $\dfrac{23}{100}$ ➡ (   )

3   0.39   ➡ (   )

4 $\dfrac{4}{5}$ ➡ (   )

5   0.09   ➡ (   )

6 $\dfrac{11}{25}$ ➡ (   )

❋ 백분율을 비율로 나타내어 보세요.

7   7 %

분수 (   )
소수 (   )

8   35 %

분수 (   )
소수 (   )

9   48 %

분수 (   )
소수 (   )

10   25 %

분수 (   )
소수 (   )

11   90 %

분수 (   )
소수 (   )

🌸 그림을 보고 전체에 대한 색칠한 부분의 비율을 백
분율로 나타내어 보세요.

1

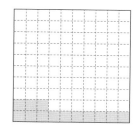

☐ %

2

☐ %

3

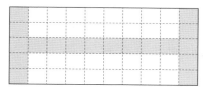

☐ %

4

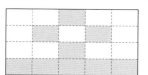

☐ %

5

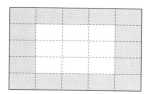

☐ %

6

☐ %

7

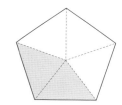

☐ %

8

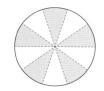

☐ %

1 아영이가 박물관에 갔습니다. 박물관 관람료는 5000원인데 아영이는 할인권을 이용하여 관람료로 4000원을 냈습니다. 몇 %를 할인받은 것인지 구해 보세요.

( )

2 지우는 서점에 갔습니다. 정가가 12000원인 동화책을 할인권을 이용하여 10800원에 샀습니다. 몇 %를 할인받은 것인지 구해 보세요.

( )

3 민우네 반 학생은 25명입니다. 그중에서 안경을 쓴 학생은 8명입니다. 전체 학생 수에 대한 안경을 쓴 학생 수의 비율과 안경을 쓰지 않은 학생 수의 비율을 각각 백분율로 나타내어 보세요.

안경을 쓴 학생 ( )
안경을 쓰지 않은 학생 ( )

4 지원이와 수민이가 농구 연습을 했습니다. 빈칸에 알맞은 수를 써넣고, 누구의 성공률이 더 높은지 알아보세요.

이름	지원	수민
공을 던진 횟수(번)	20	50
성공한 횟수(번)	14	32
성공률(%)		

성공률이 더 높은 사람 ( )

5 타율은 전체 타수에 대한 안타 수의 비율입니다. 태민이와 정우는 야구 선수입니다. 태민이는 20타수 중 7개의 안타를 쳤고, 정우는 25타수 중 9개의 안타를 쳤습니다. 두 사람의 타율을 각각 백분율로 나타내고, 누구의 타율이 더 높은지 알아보세요.

태민 ( )
정우 ( )
타율이 더 높은 사람 ( )

6 체험 학습을 갈 때 기차를 타는 것에 찬성하는 학생 수를 조사했습니다. 각 반의 찬성률을 백분율로 나타내어 보고, 찬성률이 가장 높은 반은 몇 반인지 알아보세요.

	1반	2반	3반
전체 학생 수(명)	28	25	20
찬성하는 학생 수(명)	14	16	13
찬성률(%)			

찬성률이 가장 높은 반 ( )

7 세영이와 윤아는 소금을 녹여 소금물을 만들었습니다. 세영이는 소금 80 g을 녹여 소금물 200 g을 만들었고, 윤아는 소금 50 g을 녹여 소금물 250 g을 만들었습니다. 두 사람이 만든 소금물에서 소금물 양에 대한 소금 양의 비율을 각각 백분율로 나타내고, 누가 만든 소금물이 더 진한지 알아보세요.

세영 ( )
윤아 ( )
소금물이 더 진한 사람 ( )

5 여러 가지 그래프

✳ 표를 보고 그림그래프로 나타내어 보세요.

1

지역별 등록된 자동차 수

지역	가	나	다	라
자동차 수 (대)	32000	14000	12000	26000

지역별 등록된 자동차 수

지역	자동차 수
가	
나	
다	
라	

🚗 1만 대   🚙 1천 대

2

국가별 인구수

국가	한국	일본	프랑스	호주
인구 (명)	5천만	1억 3천만	7천만	3천만

국가별 인구수

국가	인구수
한국	
일본	
프랑스	
호주	

☺ 1억 명   ☺ 1천만 명

3

과수원별 사과 생산량

과수원	가	나	다	라
사과 생산량 (상자)	450	380	290	440

과수원별 사과 생산량

과수원	사과 생산량
가	
나	
다	
라	

🍎 100 상자   🍎 50 상자   🍎 10 상자

4

권역별 쌀 생산량

권역	생산량(만 톤)
서울 · 인천 · 경기	44
강원	15
대전 · 세종 · 충청	94
대구 · 부산 · 울산 · 경상	92
광주 · 전라	142

권역별 쌀 생산량

▨ 100만 톤
▨ 10만 톤
● 1만 톤

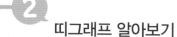

띠그래프 알아보기

❋ 은지네 학교 학생들이 좋아하는 과목을 조사하여 나타낸 표입니다. 물음에 답하세요.

좋아하는 과목별 학생 수

과목	국어	수학	사회	과학	기타	합계
학생 수 (명)	60	30	50	40	20	200
백분율 (%)			25		10	100

1 조사한 학생은 모두 몇 명인가요?

( )

2 ☐ 안에 알맞은 수를 써넣으세요.

· 국어: $\dfrac{60}{200} \times 100 =$ ☐ (%)

· 수학: $\dfrac{30}{200} \times 100 =$ ☐ (%)

· 과학: $\dfrac{40}{200} \times 100 =$ ☐ (%)

좋아하는 과목별 학생 수

```
0   10  20  30  40  50  60  70  80  90  100 (%)
```
| 국어 (☐ %) | 수학 | 사회 (25 %) | 과학 | ← 기타 (10 %) |

(☐ %)   (☐ %)

3 가장 많은 학생들이 좋아하는 과목은 무엇인가요?

( )

❋ 진수네 학교 학생들이 좋아하는 간식을 나타낸 표와 그래프입니다. 물음에 답하세요.

좋아하는 간식별 학생 수

간식	피자	치킨	햄버거	떡볶이	기타	합계
학생 수 (명)	104	128	64	64	40	
백분율 (%)	26	32	16	16	10	100

좋아하는 간식별 학생 수

```
0   10  20  30  40  50  60  70  80  90  100 (%)
```
| 피자 (26 %) | 치킨 (32 %) | 햄버거 (16 %) | 떡볶이 (16 %) | ← 기타 (10 %) |

4 진수네 학교 학생은 모두 몇 명인가요?

( )

5 치킨을 좋아하는 학생 수는 햄버거를 좋아하는 학생 수의 몇 배인가요?

( )

6 학생 수의 비율이 같은 간식은 무엇과 무엇인가요?

(,)

7 둘째로 많은 학생들이 좋아하는 간식은 무엇인가요?

( )

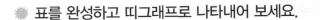

✹ 표를 완성하고 띠그래프로 나타내어 보세요.

1

태어난 계절별 학생 수

계절	봄	여름	가을	겨울	합계
학생 수 (명)	6	8	2	4	20
백분율 (%)	30		10		

태어난 계절별 학생 수

0 10 20 30 40 50 60 70 80 90 100 (%)

2

장래 희망별 학생 수

장래 희망	연예인	선생님	운동 선수	의사	기타	합계
학생 수(명)	70	50	30	40	10	200
백분율 (%)						

장래 희망별 학생 수

0 10 20 30 40 50 60 70 80 90 100 (%)

3

채소별 밭의 넓이

채소	배추	무	오이	고추	기타	합계
밭의 넓이(m²)	20	12	8	5	5	50
백분율 (%)						

채소별 밭의 넓이

0 10 20 30 40 50 60 70 80 90 100 (%)

4

좋아하는 운동별 학생 수

운동	축구	야구	농구	배구	기타	합계
학생 수 (명)	15	12	10	8	5	50
백분율 (%)						

좋아하는 운동별 학생 수

0 10 20 30 40 50 60 70 80 90 100 (%)

❋ 지원이네 학교 전체 학생들을 대상으로 가고 싶은 나라를 조사하여 나타낸 원그래프입니다. 물음에 답하세요.

가고 싶은 나라별 학생 수

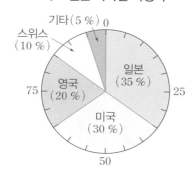

1 일본에 가고 싶은 학생 수의 비율은 몇 %인가요?

( )

2 가장 많은 학생들이 가고 싶어 하는 나라는 어디인가요?

( )

3 미국에 가고 싶은 학생 수는 스위스에 가고 싶은 학생 수의 몇 배인가요?

( )

4 스위스 또는 영국에 가고 싶은 학생 수의 비율은 몇 %인가요?

( )

❋ 어느 산악회 회원들을 대상으로 가고 싶은 산을 조사하여 나타낸 원그래프입니다. 물음에 답하세요.

가고 싶은 산별 회원 수

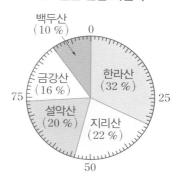

5 지리산에 가고 싶은 학생 수의 비율은 몇 %인가요?

( )

6 가장 적은 회원들이 가고 싶어 하는 산은 어느 산인가요?

( )

7 한라산에 가고 싶은 학생 수는 백두산에 가고 싶은 학생 수의 약 몇 배인가요?

약 ( )

8 금강산 또는 설악산에 가고 싶은 학생 수의 비율은 몇 %인가요?

( )

💥 표를 완성하고 원그래프로 나타내어 보세요.

1

혈액형별 학생 수

혈액형	A형	B형	O형	AB형	합계
학생 수 (명)	18	6	12	4	40
백분율 (%)	45		30		

혈액형별 학생 수

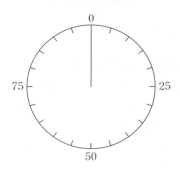

2

좋아하는 색깔별 학생 수

색깔	빨강	파랑	노랑	초록	기타	합계
학생 수 (명)	6	4	3	4	3	20
백분율 (%)	30					

좋아하는 색깔별 학생 수

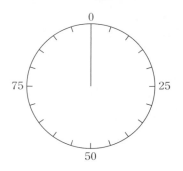

3

종류별 책의 수

종류	동화책	위인전	과학책	역사책	기타	합계
책의 수 (권)	62	50	44	28	16	200
백분율 (%)						

종류별 책의 수

4

마을별 학생 수

마을	가	나	다	라	합계
학생 수 (명)	152	96	64	88	400
백분율 (%)					

마을별 학생 수

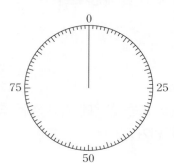

❋ 유빈이네 학교 학생들이 배우고 싶은 악기를 조사하여 나타낸 띠그래프입니다. 물음에 답하세요.

배우고 싶은 악기별 학생 수

1 피아노를 배우고 싶은 학생 수는 드럼을 배우고 싶은 학생 수의 몇 배인가요?

( )

2 바이올린을 배우고 싶은 학생이 15명이라면 기타에 속하는 학생은 몇 명인가요?

( )

3 가장 많은 학생들이 배우고 싶은 악기는 무엇인가요?

( )

4 플루트를 배우고 싶은 학생이 8명이라면 피아노를 배우고 싶은 학생은 몇 명인가요?

( )

❋ 지유네 학교 학생들이 좋아하는 동물을 조사하여 나타낸 원그래프입니다. 물음에 답하세요.

좋아하는 동물별 학생 수

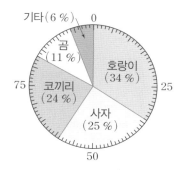

5 둘째로 많은 학생들이 좋아하는 동물은 무엇인가요?

( )

6 호랑이를 좋아하는 학생 수는 곰을 좋아하는 학생 수의 약 몇 배인가요?

약 ( )

7 좋아하는 학생 수가 비슷한 동물은 무엇과 무엇인가요?

(,)

8 곰 또는 코끼리를 좋아하는 학생 수의 비율은 몇 %인가요?

( )

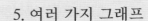
❋ 어느 마을의 과수원별 복숭아 생산량을 나타낸 그림 그래프입니다. 물음에 답하세요.

과수원별 복숭아 생산량

🍑1000 kg 🍑500 kg 🍑100 kg

1 표를 완성해 보세요.

과수원별 복숭아 생산량

과수원	행복	사랑	우정	하늘	합계
생산량 (kg)		800	600	1400	4000
백분율 (%)	30	20			

2 막대그래프로 나타내어 보세요.

과수원별 복숭아 생산량

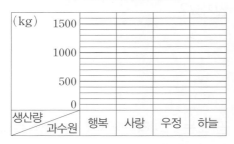

3 띠그래프로 나타내어 보세요.

과수원별 복숭아 생산량

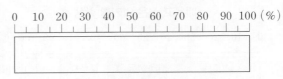

4 원그래프로 나타내어 보세요.

과수원별 복숭아 생산량

5 과수원별 복숭아 생산량을 비교하려고 합니다. 다음은 은호가 어느 그래프가 좋을지 이유를 쓴 것입니다. ☐ 안에 알맞은 말을 써넣으세요.

과수원별 ☐ 생산량의 많고 적음을

한눈에 비교하기 쉽기 때문에 ☐ 그래프

로 나타내면 좋습니다.

6 직육면체의 부피와 겉넓이

❋ 부피가 큰 직육면체부터 차례로 기호를 써 보세요.

1 가 　 나 　 다

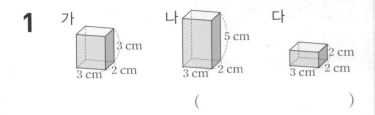

(　　　　　　　　　)

2 가 　 나 　 다

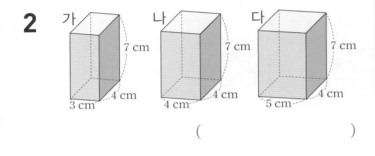

(　　　　　　　　　)

3 가 　 나 　 다

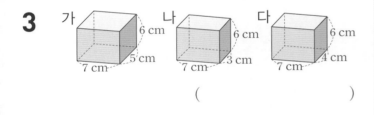

(　　　　　　　　　)

4 가 　 나 　 다

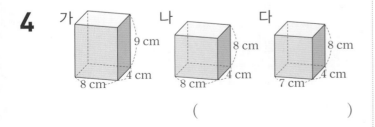

(　　　　　　　　　)

❋ 크기가 같은 쌓기나무를 사용하여 두 직육면체의 부피를 비교하고, ○ 안에 >, =, <를 알맞게 써넣으세요.

5 가 　 나

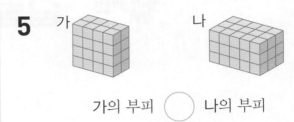

가의 부피 ○ 나의 부피

6 가 　 나

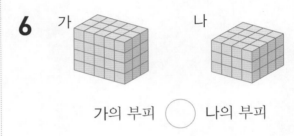

가의 부피 ○ 나의 부피

7 가 　 나

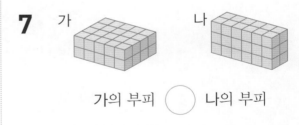

가의 부피 ○ 나의 부피

8 가 　 나

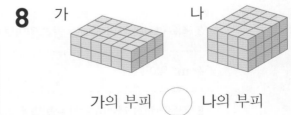

가의 부피 ○ 나의 부피

❋ 부피가 1 cm³인 쌓기나무를 다음과 같이 쌓았습니다. 직육면체의 부피를 구해 보세요.

1

(   )

2

(   )

3

(   )

4

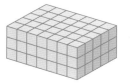

(   )

5

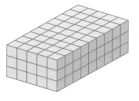

(   )

6

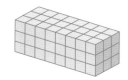

(   )

7

(   )

8

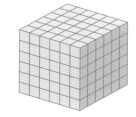

(   )

9

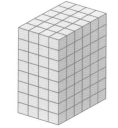

(   )

10

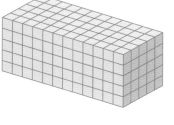

(   )

3 직육면체의 부피 구하는 방법 알아보기(2)

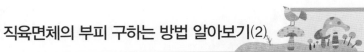

⁕ 직육면체의 부피를 구해 보세요.

1
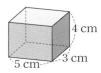

(   )

2

(   )

3
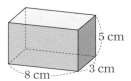

(   )

4
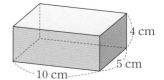

(   )

5
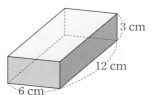

(   )

⁕ 정육면체의 부피를 구해 보세요.

6

(   )

7

(   )

8
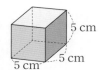

(   )

9
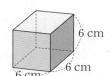

(   )

10
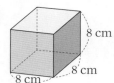

(   )

m³ 알아보기

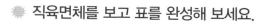

✹ 직육면체를 보고 표를 완성해 보세요.

1

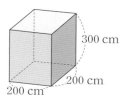

300 cm

200 cm

200 cm

가로(m)	세로(m)	높이(m)	부피(m³)

2

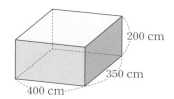

200 cm

350 cm

400 cm

가로(m)	세로(m)	높이(m)	부피(m³)

3

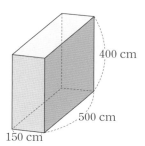

400 cm

500 cm

150 cm

가로(m)	세로(m)	높이(m)	부피(m³)

✹ ☐ 안에 알맞은 수를 써넣으세요.

4 $2 \text{ m}^3 = \boxed{} \text{ cm}^3$

5 $3.5 \text{ m}^3 = \boxed{} \text{ cm}^3$

6 $70 \text{ m}^3 = \boxed{} \text{ cm}^3$

7 $5.6 \text{ m}^3 = \boxed{} \text{ cm}^3$

8 $6000000 \text{ cm}^3 = \boxed{} \text{ m}^3$

9 $8400000 \text{ cm}^3 = \boxed{} \text{ m}^3$

10 $90000000 \text{ cm}^3 = \boxed{} \text{ m}^3$

11 $27000000 \text{ cm}^3 = \boxed{} \text{ m}^3$

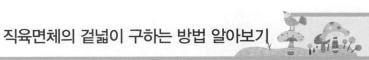
🌼 직육면체의 겉넓이를 구해 보세요.

1

3 cm
2 cm
4 cm

(　　　　　)

2
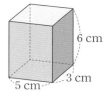
6 cm
3 cm
5 cm

(　　　　　)

3
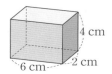
4 cm
6 cm
2 cm

(　　　　　)

4
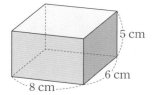
5 cm
6 cm
8 cm

(　　　　　)

5
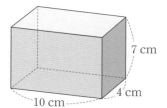
7 cm
10 cm
4 cm

(　　　　　)

🌼 정육면체의 겉넓이를 구해 보세요.

6

2 cm
2 cm
2 cm

(　　　　　)

7
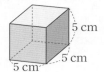
5 cm
5 cm
5 cm

(　　　　　)

8
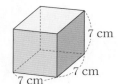
7 cm
7 cm
7 cm

(　　　　　)

9
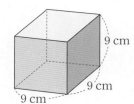
9 cm
9 cm
9 cm

(　　　　　)

10
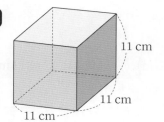
11 cm
11 cm
11 cm

(　　　　　)

정답

① 분수의 나눗셈

① (자연수)÷(자연수)의 몫을 분수로 나타내어 보기 (1) 4쪽

1 예 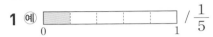 $/ \frac{1}{5}$

2 예  $/ \frac{1}{6}$

3 예 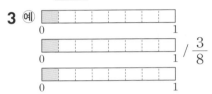 $/ \frac{3}{8}$

4 예 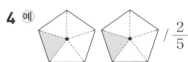 $/ \frac{2}{5}$

5 $\frac{1}{4}$ **6** $\frac{2}{3}$ **7** $\frac{5}{6}$ **8** $\frac{2}{7}$

9 $\frac{4}{9}$ **10** $\frac{5}{12}$ **11** $\frac{8}{17}$ **12** $\frac{11}{18}$

② (자연수)÷(자연수)의 몫을 분수로 나타내어 보기 (2) 5쪽

1 예 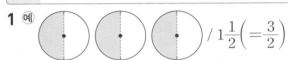 $/ 1\frac{1}{2}\left(=\frac{3}{2}\right)$

2 예 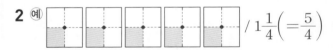 $/ 1\frac{1}{4}\left(=\frac{5}{4}\right)$

3 예 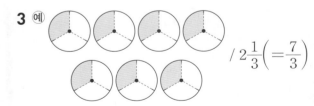 $/ 2\frac{1}{3}\left(=\frac{7}{3}\right)$

4 $1\frac{2}{3}\left(=\frac{5}{3}\right)$ **5** $1\frac{1}{5}\left(=\frac{6}{5}\right)$ **6** $1\frac{2}{7}\left(=\frac{9}{7}\right)$

7 $2\frac{3}{4}\left(=\frac{11}{4}\right)$ **8** $2\frac{5}{6}\left(=\frac{17}{6}\right)$ **9** $2\frac{5}{8}\left(=\frac{21}{8}\right)$

10 $3\frac{1}{9}\left(=\frac{28}{9}\right)$ **11** $4\frac{2}{7}\left(=\frac{30}{7}\right)$

③ (분수)÷(자연수)를 알아보기 (1) 6쪽

1 4, 2 **2** 6, 2 **3** 8, 2
4 9, 3 **5** 10, 2 **6** 12, 2
7 6, 6, 3 **8** 12, 12, 4 **9** 20, 20, 5
10 42, 42, 7 **11** 10, 10, 5 **12** 35, 35, 7

④ (분수)÷(자연수)를 알아보기 (2) 7쪽

1 $\frac{2}{9}$ **2** $\frac{2}{13}$ **3** $\frac{4}{15}$ **4** $\frac{5}{17}$

5 $\frac{2}{19}$ **6** $\frac{3}{23}$ **7** $\frac{2}{21}$ **8** $\frac{3}{25}$

9 $\frac{5}{24}$ **10** $\frac{4}{21}$ **11** $\frac{5}{72}$ **12** $\frac{7}{90}$

⑤ (분수)÷(자연수)를 분수의 곱셈으로 나타내어 보기 (1) 8쪽

1  **2**

3

4 $\frac{1}{2}, \frac{3}{10}$ **5** $\frac{1}{8}, \frac{5}{48}$

6 $\frac{1}{3}, \frac{7}{24}$ **7** $\frac{1}{5}, \frac{9}{25}$ **8** $\frac{1}{4}, \frac{11}{12}$

⑥ (분수)÷(자연수)를 분수의 곱셈으로 나타내어 보기 (2) 9쪽

1 $\frac{1}{12}\left(=\frac{2}{24}\right)$ **2** $\frac{1}{8}\left(=\frac{3}{24}\right)$ **3** $\frac{4}{35}$

4 $\frac{5}{18}$ **5** $\frac{1}{28}\left(=\frac{2}{56}\right)$ **6** $\frac{7}{64}$

7 $\frac{1}{18}\left(=\frac{2}{36}\right)$ **8** $\frac{3}{10}\left(=\frac{9}{30}\right)$ **9** $\frac{5}{48}$

10 $\frac{3}{70}$ **11** $\frac{7}{54}$ **12** $\frac{11}{84}$

⑦ (분수)÷(자연수)를 분수의 곱셈으로 나타내어 보기 (3) 10쪽

1 $\frac{5}{6}$ **2** $\frac{2}{3}\left(=\frac{4}{6}\right)$ **3** $\frac{3}{5}\left(=\frac{9}{15}\right)$

4 $\frac{7}{24}$ **5** $\frac{2}{7}\left(=\frac{10}{35}\right)$ **6** $\frac{11}{48}$

7 $\dfrac{8}{21}$ **8** $\dfrac{13}{35}$ **9** $\dfrac{2}{5}\left(=\dfrac{12}{30}\right)$

10 $\dfrac{2}{9}\left(=\dfrac{14}{63}\right)$ **11** $\dfrac{3}{7}\left(=\dfrac{18}{42}\right)$ **12** $\dfrac{5}{11}\left(=\dfrac{25}{55}\right)$

---

8 (대분수)÷(자연수)를 알아보기(1) 11쪽

1 방법1 $1\dfrac{3}{5}\div2=\dfrac{8}{5}\div2=\dfrac{8\div2}{5}=\dfrac{4}{5}$

  방법2 $1\dfrac{3}{5}\div2=\dfrac{8}{5}\div2=\dfrac{8}{5}\times\dfrac{1}{2}=\dfrac{4}{5}\left(=\dfrac{8}{10}\right)$

2 방법1 $2\dfrac{1}{4}\div3=\dfrac{9}{4}\div3=\dfrac{9\div3}{4}=\dfrac{3}{4}$

  방법2 $2\dfrac{1}{4}\div3=\dfrac{9}{4}\div3=\dfrac{9}{4}\times\dfrac{1}{3}=\dfrac{3}{4}\left(=\dfrac{9}{12}\right)$

3 방법1 $3\dfrac{3}{5}\div6=\dfrac{18}{5}\div6=\dfrac{18\div6}{5}=\dfrac{3}{5}$

  방법2 $3\dfrac{3}{5}\div6=\dfrac{18}{5}\div6=\dfrac{18}{5}\times\dfrac{1}{6}=\dfrac{3}{5}\left(=\dfrac{18}{30}\right)$

4 방법1 $4\dfrac{2}{7}\div5=\dfrac{30}{7}\div5=\dfrac{30\div5}{7}=\dfrac{6}{7}$

  방법2 $4\dfrac{2}{7}\div5=\dfrac{30}{7}\div5=\dfrac{30}{7}\times\dfrac{1}{5}=\dfrac{6}{7}\left(=\dfrac{30}{35}\right)$

5 방법1 $2\dfrac{5}{8}\div7=\dfrac{21}{8}\div7=\dfrac{21\div7}{8}=\dfrac{3}{8}$

  방법2 $2\dfrac{5}{8}\div7=\dfrac{21}{8}\div7=\dfrac{21}{8}\times\dfrac{1}{7}=\dfrac{3}{8}\left(=\dfrac{21}{56}\right)$

6 방법1 $2\dfrac{2}{9}\div4=\dfrac{20}{9}\div4=\dfrac{20\div4}{9}=\dfrac{5}{9}$

  방법2 $2\dfrac{2}{9}\div4=\dfrac{20}{9}\div4=\dfrac{20}{9}\times\dfrac{1}{4}=\dfrac{5}{9}\left(=\dfrac{20}{36}\right)$

7 방법1 $4\dfrac{7}{12}\div5=\dfrac{55}{12}\div5=\dfrac{55\div5}{12}=\dfrac{11}{12}$

  방법2 $4\dfrac{7}{12}\div5=\dfrac{55}{12}\div5=\dfrac{55}{12}\times\dfrac{1}{5}=\dfrac{11}{12}\left(=\dfrac{55}{60}\right)$

---

9 (대분수)÷(자연수)를 알아보기(2) 12쪽

1 $1\dfrac{2}{3}\left(=\dfrac{5}{3}\right)$ **2** $\dfrac{3}{4}$ **3** $\dfrac{3}{10}$

4 $\dfrac{5}{6}$ **5** $1\dfrac{11}{14}\left(=\dfrac{25}{14}\right)$ **6** $1\dfrac{3}{8}\left(=\dfrac{11}{8}\right)$

7 $\dfrac{7}{18}$ **8** $1\dfrac{1}{10}\left(=\dfrac{11}{10}\right)$ **9** $\dfrac{15}{44}$

10 $\dfrac{5}{12}$ **11** $\dfrac{5}{14}$ **12** $\dfrac{7}{18}$

⭐2 각기둥과 각뿔

1 각기둥 알아보기(1) 14쪽

1 ○ **2** × **3** ○ **4** × **5** ○

6   **7**

8   **9**

2 각기둥 알아보기(2) 15쪽

1 면 ㄱㄴㄷ, 면 ㄹㅁㅂ / 면 ㄴㅁㅂㄷ, 면 ㄷㅂㄹㄱ, 면 ㄱㄹㅁㄴ

2 면 ㄴㅂㅅㄷ, 면 ㄱㅁㅇㄹ / 면 ㄱㄴㄷㄹ, 면 ㄱㄴㅂㅁ, 면 ㅁㅂㅅㅇ, 면 ㄹㄷㅅㅇ

3 면 ㄱㄴㄷㄹㅁ, 면 ㅂㅅㅇㅈㅊ / 면 ㄴㅅㅇㄷ, 면 ㄷㅇㅈㄹ, 면 ㄹㅈㅊㅁ, 면 ㅁㅊㅂㄱ, 면 ㄱㅂㅅㄴ

4   **5**

6   **7**

3 각기둥 알아보기(3) 16쪽

1 삼각형, 직사각형, 삼각기둥

2 오각형, 직사각형, 오각기둥

3 육각형, 직사각형, 육각기둥

4 사각형, 직사각형, 사각기둥

5 4, 8, 6, 12 **6** 3, 6, 5, 9

7 6, 12, 8, 18 **8** 5, 10, 7, 15

4 각기둥의 전개도 알아보기 17쪽

1 삼각기둥 **2** 사각기둥

3 육각기둥 **4** 오각기둥

5 (왼쪽에서부터) 5, 3 / 6, 4 **6** (왼쪽에서부터) 6, 4, 8

7 4 / (위에서부터) 4, 7 **8** (위에서부터) 9, 4 / 5, 6

5 각기둥의 전개도 그려 보기

18쪽

1 예
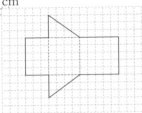

2 예

3 예

4 예

6 각뿔 알아보기 (1)

19쪽

1 × **2** × **3** ○ **4** × **5** ○

6 면 ㄴㄷㄹ / 면 ㄱㄷㄹ, 면 ㄱㄹㄴ

7 면 ㄴㄷㄹㅁㅂ /
면 ㄱㄴㄷ, 면 ㄱㄷㄹ, 면 ㄱㄹㅁ, 면 ㄱㅁㅂ, 면 ㄱㅂㄴ

8 면 ㄴㄷㄹㅁ / 면 ㄱㄴㄷ, 면 ㄱㄷㄹ, 면 ㄱㄹㅁ, 면 ㄱㅁㄴ

7 각뿔 알아보기 (2)

20쪽

1 삼각형, 삼각형, 삼각뿔 **2** 오각형, 삼각형, 오각뿔

3 사각형, 삼각형, 사각뿔 **4** 육각형, 삼각형, 육각뿔

5 5, 6, 6, 10 **6** 3, 4, 4, 6

7 6, 7, 7, 12 **8** 4, 5, 5, 8

★3 소수의 나눗셈

1 (소수)÷(자연수)를 알아보기 (1)

22쪽

1 (위에서부터) 124, $\frac{1}{10}$, 12.4, $\frac{1}{100}$, 1.24

2 (위에서부터) 132, $\frac{1}{10}$, 13.2, $\frac{1}{100}$, 1.32

3 (위에서부터) 212, $\frac{1}{10}$, 21.2, $\frac{1}{100}$, 2.12

4 11.2, 1.12 **5** 12.2, 1.22

6 341, 34.1, 3.41 **7** 221, 22.1, 2.21

8 332, 33.2, 3.32

2 (소수)÷(자연수)를 알아보기 (2)

23쪽

1 $33.72 \div 4 = \frac{3372}{100} \div 4 = \frac{3372 \div 4}{100} = \frac{843}{100} = 8.43$

2 $23.15 \div 5 = \frac{2315}{100} \div 5 = \frac{2315 \div 5}{100} = \frac{463}{100} = 4.63$

3 $7.65 \div 3 = \frac{765}{100} \div 3 = \frac{765 \div 3}{100} = \frac{255}{100} = 2.55$

4 $81.12 \div 6 = \frac{8112}{100} \div 6 = \frac{8112 \div 6}{100} = \frac{1352}{100} = 13.52$

5 $90.23 \div 7 = \frac{9023}{100} \div 7 = \frac{9023 \div 7}{100} = \frac{1289}{100} = 12.89$

6 3.84 **7** 9.33 **8** 2.52

9 18.96 **10** 14.38

3 (소수)÷(자연수)를 알아보기 (3)

24쪽

1 $0.75 \div 5 = \frac{75}{100} \div 5 = \frac{75 \div 5}{100} = \frac{15}{100} = 0.15$

2 $2.38 \div 7 = \frac{238}{100} \div 7 = \frac{238 \div 7}{100} = \frac{34}{100} = 0.34$

3 $1.12 \div 4 = \frac{112}{100} \div 4 = \frac{112 \div 4}{100} = \frac{28}{100} = 0.28$

4 $4.72 \div 8 = \frac{472}{100} \div 8 = \frac{472 \div 8}{100} = \frac{59}{100} = 0.59$

5 $2.88 \div 9 = \frac{288}{100} \div 9 = \frac{288 \div 9}{100} = \frac{32}{100} = 0.32$

6 0.29 **7** 0.16 **8** 0.77

9 0.29 **10** 0.63

4 (소수)÷(자연수)를 알아보기(4) 25쪽

1 $1.4 \div 4 = \dfrac{140}{100} \div 4 = \dfrac{140 \div 4}{100} = \dfrac{35}{100} = 0.35$

2 $5.2 \div 8 = \dfrac{520}{100} \div 8 = \dfrac{520 \div 8}{100} = \dfrac{65}{100} = 0.65$

3 $6.8 \div 5 = \dfrac{680}{100} \div 5 = \dfrac{680 \div 5}{100} = \dfrac{136}{100} = 1.36$

4 $9.4 \div 4 = \dfrac{940}{100} \div 4 = \dfrac{940 \div 4}{100} = \dfrac{235}{100} = 2.35$

5 $6.76 \div 8 = \dfrac{6760}{1000} \div 8 = \dfrac{6760 \div 8}{1000} = \dfrac{845}{1000} = 0.845$

6 0.45   **7** 1.36   **8** 2.15

9 0.95   **10** 1.135

5 (소수)÷(자연수)를 알아보기(5) 26쪽

1 예) $9.18 \div 9 = \dfrac{918}{100} \div 9 = \dfrac{918 \div 9}{100} = \dfrac{102}{100} = 1.02$

2 예) $6.21 \div 3 = \dfrac{621}{100} \div 3 = \dfrac{621 \div 3}{100} = \dfrac{207}{100} = 2.07$

3 예) $8.24 \div 4 = \dfrac{824}{100} \div 4 = \dfrac{824 \div 4}{100} = \dfrac{206}{100} = 2.06$

4 예) $7.56 \div 7 = \dfrac{756}{100} \div 7 = \dfrac{756 \div 7}{100} = \dfrac{108}{100} = 1.08$

5 예) $8.1 \div 2 = \dfrac{810}{100} \div 2 = \dfrac{810 \div 2}{100} = \dfrac{405}{100} = 4.05$

6 예) $5.4 \div 5 = \dfrac{540}{100} \div 5 = \dfrac{540 \div 5}{100} = \dfrac{108}{100} = 1.08$

7 1.06   **8** 1.04   **9** 2.04

10 1.05   **11** 1.02   **12** 1.05

6 (소수)÷(자연수)를 알아보기(6) 27쪽

1
```
   1.0 5
3)3.1 5
  3
  ───
    1 5
    1 5
    ───
      0
```

2
```
   1.0 3
9)9.2 7
  9
  ───
    2 7
    2 7
    ───
      0
```

3
```
   1.0 6
7)7.4 2
  7
  ───
    4 2
    4 2
    ───
      0
```

4
```
   2.0 5
4)8.2
  8
  ───
    2 0
    2 0
    ───
      0
```

5 1.08   **6** 1.06   **7** 2.09

8 3.09   **9** 1.05

7 (자연수)÷(자연수)의 몫을 소수로 나타내어 보기(1) 28쪽

1 $3 \div 2 = \dfrac{3}{2} = \dfrac{15}{10} = 1.5$

2 $7 \div 5 = \dfrac{7}{5} = \dfrac{14}{10} = 1.4$

3 $9 \div 4 = \dfrac{9}{4} = \dfrac{225}{100} = 2.25$

4 $3 \div 4 = \dfrac{3}{4} = \dfrac{75}{100} = 0.75$

5 $12 \div 5 = \dfrac{12}{5} = \dfrac{24}{10} = 2.4$

6 0.6   **7** 3.5   **8** 0.75

9 0.2   **10** 1.25   **11** 0.25

8 (자연수)÷(자연수)의 몫을 소수로 나타내어 보기(2) 29쪽

1 4.6   **2** 8.75   **3** 0.24

4 0.6   **5** 3.4

6 (위에서부터) 2.25, 0.2, 1.8, 0.16

7 (위에서부터) 1.5, 1.25, 0.48, 0.4

8 (위에서부터) 2.8, 0.96, 1.75, 0.6

9 (위에서부터) 2.5, 4.5, 1.25, 2.25

9 몫의 소수점 위치를 확인해 보기(1) 30쪽

1 $3 \div 3$ **2** $4 \div 4$ **3** $6 \div 4$

4 $21 \div 5$ **5** $9 \div 3$ **6** $13 \div 6$

7 예) 26, 3, 9 / 8.7□5   **8** 예) 46, 4, 12 / 1□1.5

9 예) 28, 6, 5 / 4.6□8   **10** 예) 31, 5, 6 / 6.2□6

10 몫의 소수점 위치를 확인해 보기(2) 31쪽

1 $16.23 \div 3 = 5.41$에 ○표

2 $27.48 \div 4 = 6.87$에 ○표

3 $15.8 \div 5 = 3.16$에 ○표   **4** $5.34 \div 6 = 0.89$에 ○표

5 $10.08 \div 9 = 1.12$에 ○표   **6** $43.6 \div 4 = 10.9$에 ○표

7 $50.05 \div 7 = 7.15$에 ○표   **8** $65.7 \div 3 = 21.9$에 ○표

4 비와 비율

1 두 수 비교해 보기   34쪽

1 예 $6-2=4$, 사과 수가 바나나 수보다 4개 더 많습니다. / 예 $6÷2=3$, 사과 수는 바나나 수의 3배입니다.

2 예 $10-5=5$, 딸기 우유 수가 초콜릿 우유 수보다 5개 더 많습니다. / 예 $10÷5=2$, 딸기 우유 수는 초콜릿 우유 수의 2배입니다.

3 예 $15-12=3$, 여학생 수가 남학생 수보다 3명 더 많습니다. / 예 $12÷15=0.8$, 남학생 수는 여학생 수의 0.8배입니다.

4 예 $24-8=16$, 야구공 수가 탁구공 수보다 16개 더 많습니다. / 예 $24÷8=3$, 야구공 수는 탁구공 수의 3배입니다.

5 (1) 6, 8, 10

(2) 예 봉지 수에 따라 빨간색 구슬 수는 파란색 구슬 수보다 각각 4, 8, 12, 16, 20 더 많습니다. / 예 빨간색 구슬 수는 항상 파란색 구슬 수의 3배입니다.

6 (1) 20, 30, 40, 50

(2) 예 모둠 수에 따라 색종이 수는 모둠원 수보다 각각 5, 10, 15, 20, 25 더 많습니다. / 예 색종이 수는 항상 모둠원 수의 2배입니다.

2 비 알아보기(1)   35쪽

1 (1) 5, 8 (2) 5, 8 (3) 5, 8
2 (1) 6, 11 (2) 6, 11 (3) 6, 11
3 (1) 7, 10 (2) 7, 10 (3) 10, 7
4 (1) 4, 9 (2) 4, 9 (3) 9, 4

3 비 알아보기(2)   36쪽

1 4, 6   **2** 3, 8   **3** 7, 9   **4** 8, 15
5 13, 20   **6** 7, 12   **7** 3, 11   **8** 4, 5
9 15, 27   **10** 11, 17

4 비율 알아보기(1)   37쪽

1 2, 7   **2** 6, 13   **3** 4, 9   **4** 12, 8
5 12, 23   **6** 14, 15   **7** 5, 19   **8** 16, 7
9 20, 27   **10** 16, 31

5 비율 알아보기(2)   38쪽

1 $\dfrac{8}{25}$, 0.32   **2** $\dfrac{3}{4}$, 0.75

3 $\dfrac{9}{15}\left(=\dfrac{3}{5}\right)$, 0.6   **4** $\dfrac{9}{20}$, 0.45

5 $\dfrac{2}{8}\left(=\dfrac{1}{4}\right)$, 0.25   **6** $\dfrac{3}{12}\left(=\dfrac{1}{4}\right)$, 0.25

7 $\dfrac{4}{10}\left(=\dfrac{2}{5}\right)$, 0.4   **8** $\dfrac{12}{16}\left(=\dfrac{3}{4}\right)$, 0.75

9 $\dfrac{13}{20}$, 0.65   **10** $\dfrac{15}{25}\left(=\dfrac{3}{5}\right)$, 0.6

6 비율이 사용되는 경우 알아보기   39쪽

1 $\dfrac{200}{40}(=5)$ **2** $\dfrac{120}{2}(=60)$

3 $\dfrac{150}{2}(=75)$, $\dfrac{210}{3}(=70)$, ㉮ 버스

4 $\dfrac{3800}{5}(=760)$, $\dfrac{4200}{7}(=600)$

5 $\dfrac{3600}{6}(=600)$, $\dfrac{4000}{8}(=500)$ / ㉮ 마을

6 $\dfrac{90}{150}\left(=\dfrac{3}{5}\right)$, 0.6

7 $\dfrac{20}{80}\left(=\dfrac{1}{4}=0.25\right)$, $\dfrac{120}{300}\left(=\dfrac{2}{5}=0.4\right)$, 세인

7 백분율 알아보기(1)   40쪽

1 81 %   **2** 23 %   **3** 39 %   **4** 80 %
5 9 %   **6** 44 %   **7** $\dfrac{7}{100}$, 0.07

8 $\dfrac{35}{100}\left(=\dfrac{7}{20}\right)$, 0.35   **9** $\dfrac{48}{100}\left(=\dfrac{12}{25}\right)$, 0.48

10 $\dfrac{25}{100}\left(=\dfrac{1}{4}\right)$, 0.25   **11** $\dfrac{90}{100}\left(=\dfrac{9}{10}\right)$, 0.9

8 백분율 알아보기(2) 41쪽

| 1 13 | 2 70 | 3 36 | 4 45 |
| 5 64 | 6 30 | 7 40 | 8 50 |

9 백분율이 사용되는 경우 알아보기 42쪽

1 20 % 　 2 10 % 　 3 32 %, 68 %
4 70, 64 / 지원 　 5 35 %, 36 %, 정우
6 50, 64, 65 / 3반 　 7 40 %, 20 %, 세영

5 여러 가지 그래프

1 그림그래프로 나타내어 보기 44쪽

1

지역	자동차 수
가	
나	
다	
라	

2

국가	인구
한국	
일본	
프랑스	
호주	

3

과수원	사과 생산량
가	
나	
다	
라	

4

2 띠그래프 알아보기 45쪽

1 200명 　 2 30, 15, 20 / 30, 15, 20
3 국어 　 4 400명 　 5 2배
6 햄버거, 떡볶이 　 7 피자

3 띠그래프로 나타내어 보기 46쪽

1 40, 20, 100 /
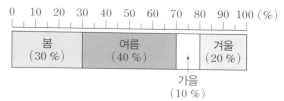

2 35, 25, 15, 20, 5, 100 /

3 40, 24, 16, 10, 10, 100 /

4 30, 24, 20, 16, 10, 100 /
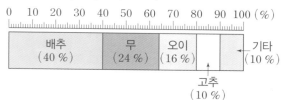

1 15, 10, 100 /

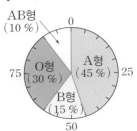

2 20, 15, 20, 15, 100 /

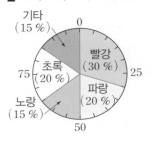

3 31, 25, 22, 14, 8, 100 /   **4** 38, 24, 16, 22, 100 /

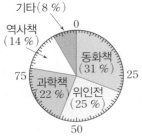

1 (위에서부터) 1200, 15, 35, 100

2
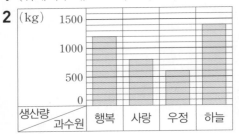

3
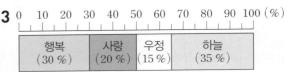

4
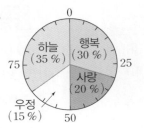

5 복숭아, ㉔ 막대